D0834095

Écrit par Jean-Pierre Verdet
Illustré par Christian Broutin,
Henri Galeron et Pierre-Marie Valat

Conseil pédagogique :
Équipe du bureau de l'Association Générale
des Instituteurs et Institutrices des Écoles
et Classes Maternelles Publiques.

Jean-Pierre Verdet
est astronome à l'Observatoire de Paris.

I.S.B.N. 2 245 02309-9
© Éditions Gallimard 1984
1er dépôt légal: Novembre 1984
Dépôt légal: Décembre 1990. Numéro d'édition: 8227
Imprimé à la Editoriale Libraria en Italie.

LE LIVRE DE PARIS-GALLIMARD

Le ciel,
les étoiles et la nuit

DECOUVERTE BENJAMIN

Le soleil vient juste de se coucher...
La nuit n'est pas encore là.
Le ciel pâlit, tout plein de couleurs.
Pourtant, déjà un astre brille :
on l'appelle l'étoile du berger.
En réalité, ce n'est pas une étoile,
mais Vénus, une planète... comme
la terre, la terre d'où tu regardes
le ciel.
Maintenant la lune mystérieuse
et blafarde se lève, bientôt
une foule d'étoiles scintilleront
et tourneront sur la voûte du ciel.
Lève les yeux, regarde, observe
et compare nuit après nuit. Le ciel est
riche de merveilles mais il est difficile
à comprendre.

Constellation du Taureau

Constellation du Lion

Les constellations sont les dessins que semblent former certaines étoiles.

Ces dessins reviennent régulièrement dans le ciel, toujours pareils à eux-mêmes. Depuis longtemps, les hommes aiment leur donner des noms. Connais-tu chez nous Orion, Pégase et la Grande Ourse ? Les plus célèbres constellations sont celles devant lesquelles la terre se promène tout au long de l'année. Elles forment le zodiaque et les astrologues croient qu'elles règlent notre vie. Mais notre vie se moque des étoiles... et les étoiles de notre vie !

Dans le zodiaque, il y a douze constellations, et la terre met douze mois à les parcourir. Voici les noms qui correspondent aux petits dessins de l'illustration :

♊	Gémeaux	♒	Verseau	♎	Balance
♉	Taureau	♑	Capricorne	♍	Vierge
♈	Bélier	♐	Sagittaire	♌	Lion
♓	Poissons	♏	Scorpion	♋	Cancer

Comment reconnaître la Grande Ourse ?

C'est une grande
constellation formée
de sept étoiles. Trois
d'entre elles forment
une ligne brisée, les
quatre autres
un rectangle :
on dirait une casserole.
Le bord de la casserole
t'indique la direction de l'étoile
Polaire qui se trouve à une distance
égale à cinq fois la hauteur
de la casserole. L'étoile Polaire
est le point fixe du ciel autour duquel
toutes les autres étoiles semblent
tourner. Elle marque le nord,
et se trouve au bout du manche
de cette autre casserole, plus petite :
la Petite Ourse.

Petite Ourse

Grande Ourse

Grande Ourse
et Petite Ourse
tournent chaque nuit
autour de l'étoile Polaire,
comme les aiguilles d'une montre
qui iraient à l'envers. Le jour, quand tu ne les vois plus,
la ronde continue pour toutes les étoiles.

Comment
bouge la terre?

Si les étoiles semblent
tourner autour de l'étoile Polaire,
si le soleil se lève chaque matin,
monte dans le ciel et se couche chaque
soir, c'est parce que la terre tourne
sur elle-même, comme une toupie.
L'axe de cette toupie traverse le ciel
tout près de l'étoile Polaire.
Mais cette rotation, qui se fait
en un jour et une nuit, n'est pas
le seul mouvement de la terre :
en un an, elle fait aussi le tour
du soleil !
Ainsi, alors que tu te crois bien
en repos sur ta planète, tu tournes
et tu vagabondes à grande vitesse
dans l'espace ! Le premier astronome
qui ait affirmé cela est Nicolas
Copernic, il y a plus de 400 ans...

Un vieux rêve : marcher sur la lune !

Depuis que les hommes regardent le ciel, la lune les intrigue.
Dans les taches de sa surface, les uns voyaient un visage, les autres un personnage ou un animal.
Dire que quelqu'un est dans la lune, c'est dire qu'il rêve. Et les hommes depuis longtemps rêvaient d'aller dans la lune : promettre la lune, c'était promettre l'impossible... jusqu'à ce que, en 1969, l'Américain Neil Armstrong pose le pied sur la poussière du sol lunaire.

Sans le soleil, nous ne verrions pas la lune !

La lune est froide.
La lune ne brille pas par elle-même, mais grâce à la lumière que lui envoie le soleil. Quand tu la vois bien ronde dans le ciel, tu peux remarquer des taches sombres à sa surface.
On les appelle des **mers.** Pourtant, il n'y a pas d'eau sur la lune !
Ce sont de grandes plaines couvertes d'une poussière grise. Les **montagnes** forment les taches claires, elles sont très hautes, irrégulières et chaotiques.
Si tu observes la lune avec de bonnes jumelles, tu devineras la variété du sol : la lune est couverte de trous de toutes tailles, de sillons et de rainures.

La lune est plus petite que la terre, son diamètre est environ le quart de celui de notre globe terrestre.

Les aspects différents de la lune.

La lune tourne autour de la terre. Malgré cela, si la lune brillait par elle-même, nous la verrions toujours entièrement lumineuse. Mais la lune, comme la terre, est éclairée par le soleil. Alors, suivant sa position par rapport à nous et par rapport au soleil, nous la voyons soit tout éclairée, soit en partie éclairée.

Nous ne la voyons plus du tout quand elle est entre nous et le soleil ! Ces différentes apparences de la lune s'appellent les phases lunaires.

Si nous vivions sur la lune, nous verrions les phases de la terre, voici quelques aspects que tu observerais.

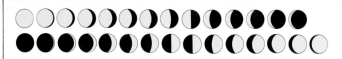

Voici toutes les apparences que prend la lune en 29 jours et demi, une lunaison ou un mois lunaire, un peu plus court que nos mois légaux.

Observe bien ce dessin. Imagine que le soleil soit à droite du livre et que tu sois sur la terre (1), au centre du dessin. Regarde bien chaque position de la lune par rapport à la terre (2) et tu comprendras les différentes apparences de la lune (3). Pense bien que quand tu regardes vers le haut, le soleil est à droite, et que quand tu regardes vers le bas, le soleil est à gauche.

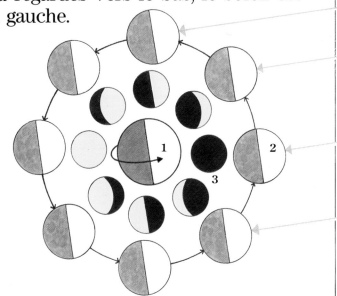

La lune est à l'opposé du soleil. On la voit tout éclairée.
Elle passe au plus haut à minuit : c'est la pleine lune.

Quatre jours plus tard, elle ne passe au plus haut dans le ciel
qu'à trois heures du matin. On ne la voit plus entièrement.

Huit jours plus tard, c'est le dernier quartier. Elle s'est levée
il y a une heure. Il est deux heures du matin.

Il est huit heures du matin. La lune s'amincit. Quand elle passera haut dans le ciel, la lumière du soleil la cachera.

C'est la nouvelle lune, elle passe au plus haut, au méridien, en même temps que le soleil. Elle est noyée dans le jour.

Cinq jours plus tard : la lune s'est éloignée du soleil. Elle est à nouveau visible. Il est 19 heures. Bientôt elle se couchera.

La lune entre lentement dans l'ombre de la terre, elle s'assombrit puis disparaît provisoirement.

La lune a des éclipses!

La terre et la lune, mois après mois, jouent à cache-cache. Et puisque la terre est éclairée par le soleil, elle est accompagnée par son ombre, comme toi quand tu te promènes au soleil. Alors, dans cette partie de cache-cache, il arrive que la lune passe juste dans l'ombre de la terre. L'ombre commence à la grignoter, puis la mange toute, la lune disparaît. Les Anciens croyaient qu'un dragon la dévorait!

Sois sans crainte, elle reviendra, elle n'est qu'éclipsée. Il y a à peu près une éclipse de lune par an.

lune   terre   soleil

La terre n'est pas toute seule à tourner autour du soleil ! En plus de la lune, elle a huit frères et sœurs.

Les uns sont assez petits comme elle, et avec un bon sol dur sur lequel on peut courir. Ce sont Mercure, Vénus, Mars et Pluton. Les autres sont plus gros et gazeux : Jupiter, Saturne et son célèbre anneau, Uranus et Neptune.

Voici, dans le bon ordre en partant du soleil, Mercure, Vénus, la terre, Mars, Jupiter, Saturne, Uranus, Neptune, Pluton. Le rapport de leur taille est respecté mais pas celui de leur distance au soleil car pour cela, il faudrait que ton livre fasse un kilomètre de large !

Mais toutes les planètes, comme la terre et la lune, sont froides et ne brillent que grâce à la lumière du soleil.
De plus, entre Mars et Jupiter, une foule de toutes petites planètes circule : il s'agit peut-être d'une vraie planète qui aurait explosé.

Les imprévus du ciel.

Le bel ordre du ciel peut être troublé par les comètes et les météorites.

Les météorites de cette taille sont très rares. Une météorite a ravagé la forêt sibérienne sur 60 km de diamètre, en 1908.

Les comètes sont de petites boules brillantes accompagnées d'un long panache de gaz. Elles viennent du bout du système solaire, s'approchent de nous et repartent. Les météorites sont les cailloux du système solaire. Quand l'un d'eux passe près de la terre, il est capté, tombe et brûle dans l'atmosphère. Comment appelles-tu la trace lumineuse de cette chute ? Une étoile filante !

Le Meteor Crater en Arizona, aux États-Unis. Son diamètre de 1200 mètres a été creusé par une météorite tombée il y a moins de 100 000 ans !

Les étoiles naissent souvent en groupes dans de gigantesques nuages d'hydrogène. Dans l'Univers, des étoiles naissent à chaque instant. On observe des étoiles en formation dans la nébuleuse Trifide, mais il faut un télescope très puissant.

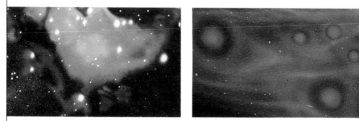

Naissance des étoiles. Un nuage de gaz et de poussière commence à se contracter. Il donnera une ou plusieurs étoiles.

Plus le nuage se contracte, plus les gaz enfermés s'échauffent. Il arrive un moment où l'étoile se met à briller.

Comment vivent et meurent les étoiles ?

Les étoiles sont d'énormes boules de gaz très très chauds. Aussi elles brillent de leur propre lumière. Mais elles ne brûlent pas comme brûle le charbon. Elles transforment leur gaz principal, l'hydrogène, en un autre gaz, l'hélium. Cette transformation dégage de la chaleur pendant des milliards d'années. **Mais les étoiles finissent par s'éteindre :** elles explosent, si elles sont très grosses. Ou elles refroidissent trop, si elles sont plus petites. **Le soleil est notre étoile.** Elle est moyenne, ni très grosse, ni très petite. Le soleil brille depuis cinq milliards d'années et il est au milieu de sa vie. Dans cinq milliards d'années, il mourra.

Quand l'étoile a brûlé son hydrogène, elle se dilate : c'est une géante rouge ; puis elle s'effondre et devient naine blanche.

Observe le ciel, en hiver, vers le sud

Observe le ciel, en été, vers le sud

Voici notre Galaxie, la Voie lactée, vue de profil.

Le soleil, notre étoile, n'est pas isolé
dans l'Univers. Il appartient à
une immense roue plate qui regroupe
des milliards d'étoiles.
C'est la Galaxie. Elle tourne
sur elle-même et nous entraîne
dans une ronde qui se boucle
en 250 millions d'années.
Encore un mouvement de la terre
dont tu ne te doutais pas ! L'Univers
semble ainsi peuplé de millions
et de millions de galaxies qui pour la
plupart se regroupent, comme le font
les étoiles et aussi les planètes.
Dans l'Univers flottent aussi de grands
nuages de gaz et de poussières. Ils
brillent si une étoile les illumine : c'est
ce qui arrive à la nébuleuse Trifide.

◄ Si nous pouvions sortir de notre Galaxie et monter très loin
au-dessus d'elle pour la voir de face, nous la verrions comme
celle-ci qui est la galaxie des Chiens de Chasse.

Ptolémée, astronome grec
IIᵉ siècle après Jésus-Christ

Copernic, savant polonais
1473-1543

Kepler, astronome allemand
1571-1630

Galilée, astronome italien
1564-1642

Newton, mathématicien anglais
1643-1727

Einstein
1879-1955

Quelques géants de l'astronomie.

Les hommes avancent pas à pas sur la route de la compréhension du ciel. Voici quelques-uns des astronomes qui ont accompli des pas de géants.

Ptolémée vivait à Alexandrie. Il croyait que la terre était immobile au centre du Monde. Son livre d'astronomie, l'Almageste, a régné sans partage sur la science du ciel pendant 1500 ans.

Copernic a bousculé l'astronomie de Ptolémée. Il a affirmé que la terre tournait sur elle-même en 24 heures, et courait autour du soleil en une année, faisant d'elle une planète comme les autres.

Kepler a découvert que les planètes ne se déplaçaient pas sur des cercles mais sur des ellipses et il a donné les lois du mouvement sur ces ellipses.

Galilée a été le premier à utiliser une lunette d'approche pour regarder le ciel. C'était en 1609. Tout un monde nouveau lui est apparu : les satellites de Jupiter, les montagnes lunaires et l'anneau de Saturne.

Newton était mathématicien, physicien, chimiste et astronome. Il a découvert la loi de la gravitation qui fait aussi bien tomber une pomme que tourner la lune autour de la terre.

Einstein est le plus célèbre savant du XXᵉ siècle. D'origine allemande, il a dû se réfugier aux États-Unis pour fuir les persécutions nazies. En découvrant la relativité du temps, il a bouleversé notre vision du monde, de l'infiniment grand à l'infiniment petit. Par exemple, la marche d'une pendule dépend de la vitesse à laquelle elle se déplace. Ce n'est pas la même sur la terre ou dans une fusée qui avance à grande vitesse.

La nuit

Elle est venue la nuit de plus loin que la nuit
à pas de vent de loup de fougère et de menthe
voleuse de parfum impure fausse nuit
fille aux cheveux d'écume issue de l'eau dormante

Après l'aube la nuit tisseuse de chansons
s'endort d'un songe lourd d'astres et de méduses
et les jambes mêlées aux fuseaux des saisons
veille sur le repos des étoiles confuses

Sa main laisse glisser les constellations
le sable fabuleux des mondes solitaires
la poussière de Dieu et de sa création
la semence de feu qui féconde la terre

Mais elle vient la nuit de plus loin que la nuit
A pas de vent de mer de feu de loup de piège
bergère sans troupeau glaneuse sans épis
aveugle aux lèvres d'or qui marche sur la neige.

Claude Roy
Poésie, 1940-1950
Gallimard